Collection Graines de mots

Dans la même collection :

La ville aux 100 poèmes
Alain Serres et Edmée Cannard

Ma famille nombreuse, 76 poèmes et 1 éléphant
David Dumortier et Lucile Placin

© Rue du monde, 2008
Direction éditoriale et artistique : Alain Serres
Maquette : V.D. + K.O.
ISBN : 978-2-35504-018-4

Je suis un enfant de partout

Images
de Judith Gueyfier

Poèmes de :

Dan Bouchery
Alain Boudet
Bernard Chambaz
Francis Combes
François David
David Dumortier
Pierre Gamarra
Jacqueline Held
Gérard Le Gouic
Françoise Lison-Leroy
Jean-Hugues Malineau
Pef
Yves Pinguilly
Michel Piquemal
Alain Serres
Jean-Pierre Siméon

RUE DU MONDE

Mauritanie

Au bord du désert mauritanien
Haïdalla a apostrophé Bilal :
« Pourquoi tu me regardes comme ça ? »
Bilal a répondu :
« Je regardais dans le vide
et je t'ai vu dedans. »

DAVID DUMORTIER

6

Djibouti

En pays Afars
un jeune berger s'assit au bord de la piste
pour vendre sa chèvre.
Le client ne s'arrêta jamais.
On vit le chevrier
des années plus tard
avec un joli petit troupeau
qui broutait les pierres.

DAVID DUMORTIER

L'enfant du Tchad
au retour du point d'eau

J'écrirai aussi
un jour des livres,
j'ai appris à lire
sur les lèvres de ma mère,
dans les yeux de mes cousines,
dans le cœur de mon meilleur ami.

GÉRARD LE GOUIC

Bangui

Elle est là Yarné
seule devant le fleuve

Toute une saison l'Oubangui s'est gorgé de pluies
il coule vite

Yarné reste sur la rive

Elle voudrait bien aller de l'autre côté des vagues
et se perdre dans leurs miroirs

Elle voudrait découvrir le bout du monde
de cette planète toute ronde

Elle est là Yarné
seule devant le fleuve
Elle rit
Elle devine qu'ici comme ailleurs
le monde n'est pas fini

YVES PINGUILLY

N'Djamena

L'une pile le mil
farine de mil
l'autre le manioc
farine de manioc

Ni l'une ni l'autre ne va à l'école

Un jour l'une aura un bébé
comme l'autre
L'une comme l'autre mangera
la boule de mil ou de manioc
la boule des pleurs
qui fait oublier toutes les douleurs

Un jour le bébé de l'une et de l'autre
apprendra à marcher
pour aller à l'école

YVES PINGUILLY

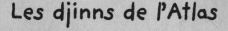

Les djinns de l'Atlas

Sur mon âne
qui trotte dans la nuit noire
je murmure des prières
pour éloigner les djinns

Mais quand le jour se lève
je retrouve mon courage
J'aperçois le village
je n'ai plus peur des djinns

Sur mon âne
j'ai des légumes à vendre
Achetez mes tomates
et mes belles aubergines

Quand mes sacs seront vides
je reprendrai la route
Je ferai trotter mon âne
en chantant à tue-tête
pour effrayer les djinns...

MICHEL PIQUEMAL

L'enfant du désert

Enfant touareg,
enfant pâtre,
petit maître du désert,
ton regard poursuit
la gazelle ou le lièvre,
guette le scarabée d'or
ou le profil d'une herbe rare.
Tu étudies jour après jour
le va-et-vient du sable,
la mélopée du vent,
le chant lointain de la fontaine,
là-bas, vers la palmeraie.

JACQUELINE HELD

De Zagora à Ouarzazate

Quelques branchages
sur leur tête,
elles ont
tout à la fois
le pas grave et léger.
Et je sens
à les voir
que c'est le monde qu'elles portent,
ces fillettes
de Zagora à Ouarzazate.

ALAIN BOUDET

Étincelle de Tunisie

Ton visage a rempli
mes yeux ouverts

Aïda
voisine du bout du monde
entre un désert
        et son miroir

Je te lance
les épis d'oiseaux migrateurs
leurs promesses lucides

En même temps que toi
j'allume un feu
dans mon jardin de sable

Françoise Lison-Leroy

11

Calédonie

À ce que dit papi,
la Nouvelle-Calédonie
ne s'appelle pas Calédonie,
mais Porte-Avions-Du-Pacifique.
Océan, oh, c'est embêtant !
Il est pas fou pourtant,
mon papi le Kanak
sans canoë-kayak.
Mais je le crois pas, papi,
a-t-il jamais vu, oui,
un porte-avions porte-cerfs
avec des poulets plumés
dans des feuilles de bananier
sous des pierres de calcaire
sur un feu de plein air ?
Un porte-avions, ça sert
la guerre et ses misères
mais pas la vie,
ça non, ça non !

PEF

Pacifique

Il est un océan Pacifique
mais faut-il le croire ?
Il est une odeur de passiflore,
comment ne pas la boire ?
Il est un enfant pas si sage
mais il pense.

ALAIN SERRES

Îles Fidji

Au coucher du soleil
Samson leva les yeux
et vit un avion
traverser la terre de Taveuni.
« Tiens ! voilà une journée
qui s'en va »,
se dit-il tout bas,
comme si ses idées étaient
de petites îles...

DAVID DUMORTIER

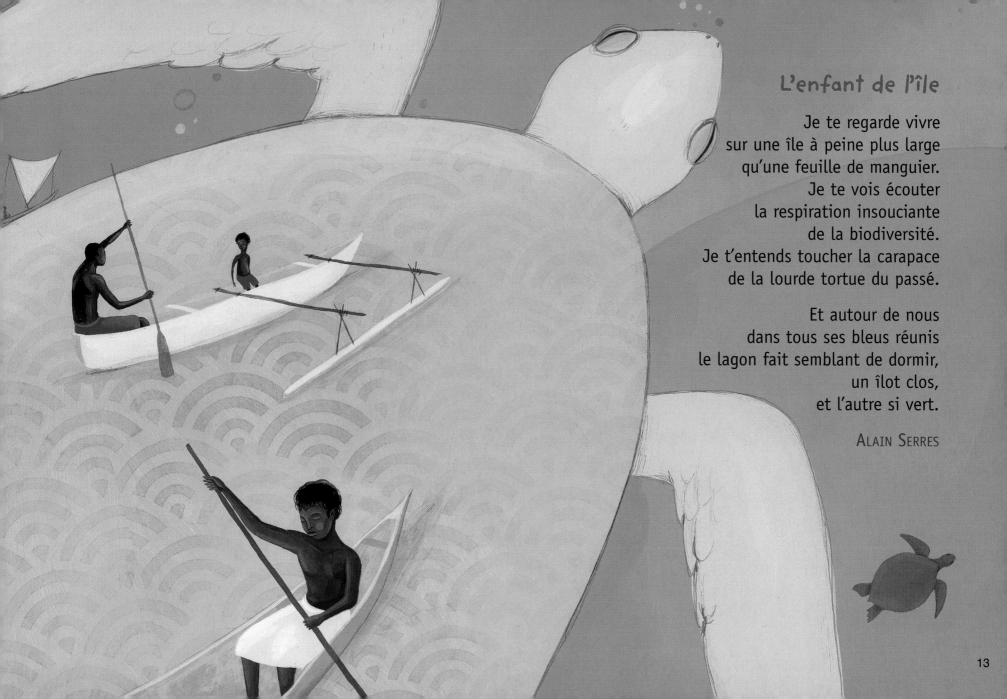

L'enfant de l'île

Je te regarde vivre
sur une île à peine plus large
qu'une feuille de manguier.
Je te vois écouter
la respiration insouciante
de la biodiversité.
Je t'entends toucher la carapace
de la lourde tortue du passé.

Et autour de nous
dans tous ses bleus réunis
le lagon fait semblant de dormir,
un îlot clos,
et l'autre si vert.

ALAIN SERRES

13

Salah de Bagdad

À Salah Al Hamdani

À Bagdad il y a un enfant
un seul enfant
le seul que j'entende
le seul que je voie
le seul qui compte à cet instant

Il avait un fleuve un ciel
une maison de toile
et un tapis volant
(tous les enfants du monde ont un tapis volant
c'est leur secret)

Mais à cet instant
Salah le gamin de Bagdad
cherche pieds nus dans les pierres
Il cherche son tapis volant
sa maison de toile
son fleuve son ciel

Sous un tapis de bombes
Salah cherche son secret dans les ruines

Jean-Pierre Siméon

Nuit iranienne

Le soir glacé d'Iran
pose sa main silencieuse sur Ispahan.
La neige éteint les bleus et les dorés
des coupoles des mosquées.
À l'entrée du bazar,
des enfants croquent des betteraves
fumantes et saignantes,
en regardant un match de foot
sur une télé tremblotante
près du poêle à mazout.
Et dans les branches d'un oranger transi
le soleil vient ranger les doutes de la nuit.

Alain Serres

14

Oiseaux de Turquie

Les garçons d'Istanbul
jouent à pousser les filles
dans le dos
pendant que les filles d'Istanbul
jouent à caresser les ailes
des oiseaux.
Et les oiseaux eux
ne sauront jamais
s'ils sont d'Istanbul
du Cap-Vert
ou d'Israël
depuis qu'une vieille poule
a picoré toutes les frontières
du ciel.

ALAIN SERRES

15

Congo-Tchétchénie

Cet enfant-là
qui a des cheveux blonds et la peau blanche
ne sait pas
que quelque part dans le monde
un autre enfant
qui a des cheveux noirs et la peau noire lui ressemble

Ils ne sont pas jumeaux comme deux gouttes d'eau
ils sont parents comme deux gouttes de sang
tout simplement
depuis longtemps

Depuis longtemps
chez eux
le bleu du ciel qui était mal accroché... est tombé !

YVES PINGUILLY

Neige russe

Varinka fabriqua
en plein Moscou
un bonhomme de neige
avec des yeux en charbon.
Au printemps
le soleil brûla la neige
et épargna le charbon.

DAVID DUMORTIER

16

Le ballon de Pologne

Dans le village de Krzaki
des enfants jouaient toujours
près d'un arbre.
Souvent, le ballon se prenait
dans ses branches
et, aussitôt, un de la bande
allait le décrocher.
Un jour,
les enfants ne sont pas montés le récupérer.
Le ballon est resté en l'air
plusieurs années,
et l'arbre finit par comprendre
que les enfants
ne voulaient plus jouer avec lui.

DAVID DUMORTIER

Roumanie

Une enfant tzigane
portait une robe à fleurs.
Elle l'oublia sur un grillage.
Le vent l'emporta dans les prairies.
L'hiver venu,
on vit rassemblées
sur le tissu de l'herbe
des caravanes de fleurs :
les vraies fleurs étaient parties.

DAVID DUMORTIER

17

L'enfant de Laponie

– En été,
le soleil ne se couche pas.
Moi non plus.
Quelle chance !

– En hiver,
le soleil ne se lève pas,
même les jours d'école.
Moi non plus alors.
Quelle chance !

GÉRARD LE GOUIC

Voyage blanc

Quand je serai petite
je partirai en voyage
avec mon sac de plumes.

Je choisirai d'aller loin
là-bas où il fait blanc
sur la banquise.

FRANÇOISE LISON-LEROY

En Finlande

Debout sur ton traîneau
tu fais des bulles de savon
entre mille flocons blancs

Un nuage rit dans sa barbe.

FRANÇOISE LISON-LEROY

Mer du Nord

Ton petit bout du monde
c'est la mer

Elle avance et recule
mille vagues en avant
et cent pas en arrière

Elle te laisse des coquillages
quelques galets cassés
jusqu'à l'année prochaine

Comme l'Escaut
tu voudrais aller vers elle
dans le grand vent d'hiver

Chez toi
à Liège ou à Bruxelles
tu l'entends chuchoter
sa chanson marinière

FRANÇOISE LISON-LEROY

Petit port de Vollendam en Zuyderzée *

Tu prends un chemin
parmi les prairies plates.
Sur leurs pieds-pilotis grêles
les maisons colorées semblent
des décors de papier peint.
Un canal au soleil tremble
comme le feu sous la cendre.
De la cour d'école au port
– voiles brunes, filets rouillés –
s'éparpille un flot de gosses.
Parmi eux des moineaux piaillent.
Chaque enfant sous le ciel pâle
est un morceau de continent
flottant, fragile.

JACQUELINE HELD

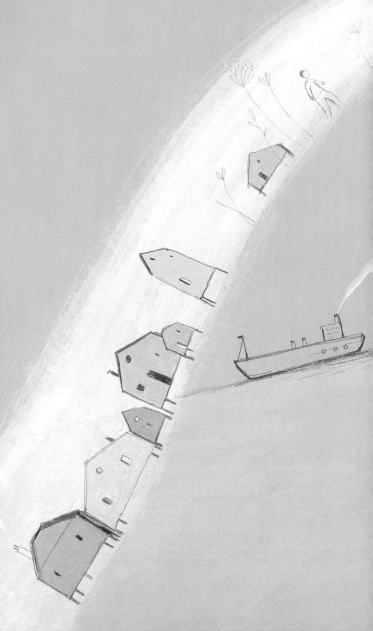

* Le Zuyderzée, situé au nord des Pays-Bas,
fut un département français entre 1811 et 1814,
sous Napoléon 1er.

L'océan d'ici

Quand je touche l'eau
de l'océan Atlantique
j'effleure le sel
qui a caressé d'autres mers
qui ont touché d'autres continents.
Toutes les pluies communiquent.
L'Europe est comme une île
et le monde, une noix
remplie d'eau.
Je jette au sel ma voix,
il me répond : « Hello ! »
Je donne à la vague mon poème,
elle me prend mon chapeau.
Je suis un enfant qui aime
regarder fondre les bateaux.

ALAIN SERRES

Sud de la France

Un enfant saute sur un pied
en criant : « Pourquoi ? »
Il écrase un gravillon vermillon,
une feuille de tilleul,
la chèvre en plastique
du cousin d'Almaric,
l'ombre mauve
de la chaise en bois.
Pourquoi ?
Il prend son élan
et écrase encore
la lettre Y que dessinait une branche.
Il écrase un myosotis qui penche.
Il écrase tout le sud de la France
mais épargne la bague dorée d'Ana.
Pourquoi ?

ALAIN SERRES

À Paris

Écoute cette histoire
Petite Adèle :
« À Paris sous la tour Eiffel
un oiseau a cassé son aile
même si c'est une pie mécanique
donne-lui ce que tu mastiques
ton chewing-gum ou ton caramel
feront un boulon à son aile. »

DAVID DUMORTIER

Jeux

Rythmes et rires
vitesse des manèges
timing de poupées
cadences de cabrioles
bousculades à bascules
embouteillages de dragons
accidents de trottinettes
attentats à dada
drames de porcelaine
guerres de dunes
bombes de bonbons
famines ignorées
enfance protégée

DAN BOUCHERY

Pinceau de vacances

Mon pinceau aime la rivière
les marais
les nénuphars
C'est lui
ma petite loutre
celle qui glisse dans l'eau soyeuse
qui se trace un chemin jusqu'au ruisseau
et plonge mieux qu'un poisson
puis revient sur la page
pour dessiner ce qu'elle a vu

Ma petite loutre se souvient
d'un pays aux herbes douces

FRANÇOISE LISON-LEROY

Cité

Six ans
au quatorzième étage

À la lisière du silence
l'enfant
sur la pointe des pieds
habite un instant la lumière

Et c'est dans le feu du regard
que la feuille au bout du rameau
devient la forêt qu'il espère.

ALAIN BOUDET

Portugal

Dans les oliveraies de Porto
Alfredo aide son père
en conduisant un petit tracteur bleu.
Quand il part loin
très loin dans les champs
son père a l'impression
d'aimer le ciel avec son fils.

DAVID DUMORTIER

25

La grande ville

Moi, quand j'ai peur
je mets mon chapeau de lune
mes lunettes policières
mes bottines sauvages
et je sors pour griffer la nuit
affronter les voleurs et les loups.

C'est moi qui fais reculer les ombres
me voilà
je suis   la dangereuse

FRANÇOISE LISON-LEROY

Ciel d'Amérique

Ma ville s'appelle New York
United States of America [1].
La nuit, quand je lève le nez au ciel
je vois des millions de fenêtres briller.
Le jour, quand je regarde dans les journaux
je vois des étoiles
prisonnières d'un drapeau.
Ma ville s'appelle New York.
Il est tard.
And I am not a star [2].

ALAIN SERRES

(1) États-Unis d'Amérique
(2) Et je ne suis pas une étoile

Toto

Dis d'où tu viens Toto ?
Je viens par ma mère
de Quito et par mon père de Toronto
j'ai sept frères
et sœurs et un manteau
plein de courants d'air
comme la cordillère et les hauts plateaux
mon père a une grande voiture vert
eau et ma mère cette vieille photo
où son père et sa mère
s'embrassent sur le bateau
qui un hiver
les conduisit de Quito à Toronto

BERNARD CHAMBAZ

27

Sorcières de Bolivie

Dans la rue Sagarnaga
qui grimpe si haut dans La Paz
tu ne crois pas les sorcières.
Elles vendent du maïs en couleurs
pour porter bonheur,
des peaux de crapauds en poudre
pour porter amour,
de la tisane de coca cueillie sous la lune
pour porter fortune.
Tu ne crois pas les sorcières.
Tu n'as confiance
qu'en ton petit jeu vidéo
qu'un touriste de Montevideo
t'a donné hier.
Sans fil.
Sans pile.

ALAIN SERRES

Vava à Valparaiso

Vava s'en va de Valdivia
il rêve qu'il s'en va aujourd'hui
Vava part avec ses protège-tibias
un paquet de biscuits
et son maillot rose fuchsia
qui porte le numéro huit
Vava s'en va de Valdivia
à Valparaiso c'est lui
qu'on voit dormir sous l'acacia
sous les étoiles une autre nuit
dans la tribune du stade où il gagna
un beau jour de pluie
la coupe en cuivre de la Santa-Maria

BERNARD CHAMBAZ

VALVIVIA

LA PAZ

Ici

Pour le moment, je suis ici,
dit-il en montrant du doigt
les lignes neuves de sa main.
L'avenir, c'est tout droit.
D'autres chemins viendront
que nul savon n'effacera.

PEF

29

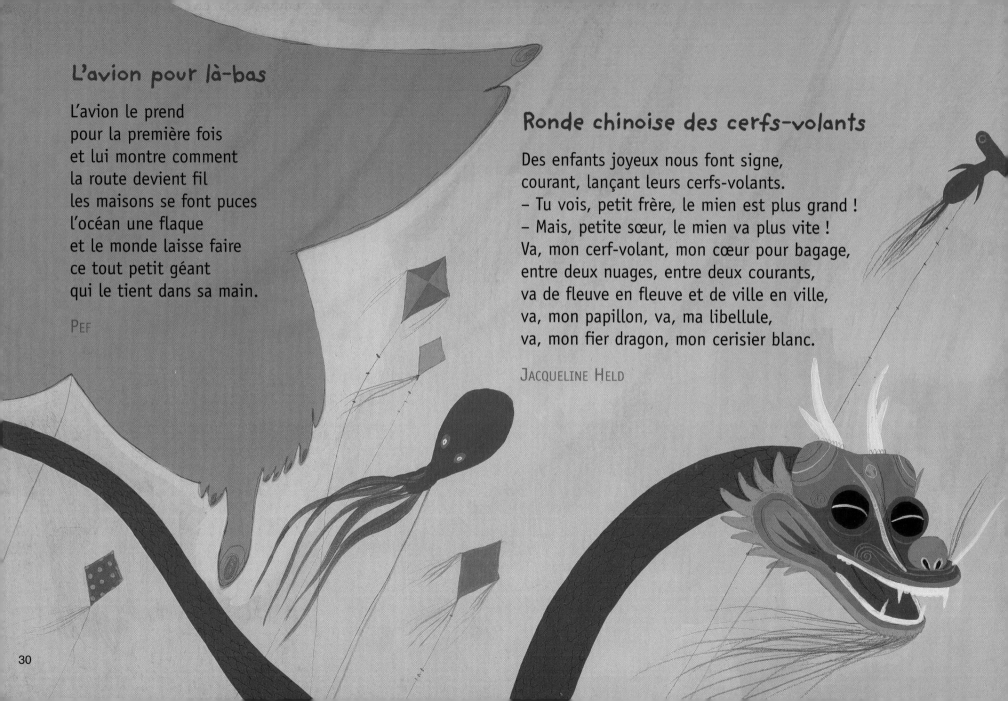

L'avion pour là-bas

L'avion le prend
pour la première fois
et lui montre comment
la route devient fil
les maisons se font puces
l'océan une flaque
et le monde laisse faire
ce tout petit géant
qui le tient dans sa main.

PEF

Ronde chinoise des cerfs-volants

Des enfants joyeux nous font signe,
courant, lançant leurs cerfs-volants.
– Tu vois, petit frère, le mien est plus grand !
– Mais, petite sœur, le mien va plus vite !
Va, mon cerf-volant, mon cœur pour bagage,
entre deux nuages, entre deux courants,
va de fleuve en fleuve et de ville en ville,
va, mon papillon, va, ma libellule,
va, mon fier dragon, mon cerisier blanc.

JACQUELINE HELD

Petite Lune

On l'appelait
Petite Lune au long pinceau
et quand elle dessinait
une ombre géante se posait
sur la page

Un jour
et puis un autre jour
cent jours
mille jours
Petite Lune a gravi la montagne
elle a pris les rochers
et les a posés là
plus loin

Depuis ce temps
sur la toile de Petite Lune
le soleil éclaire
le tableau

FRANÇOISE LISON-LEROY

31

Le tapis indien

Il existe près de Jaipur
un tigre bleu
qui dort sur un tapis à poil court.
Quand on lui marche sur la queue
il ne crie pas « au secours ! au secours ! »
parce que la jeune fille qui l'a tissé
ne savait ni dire
ni écrire
« au secours ! au secours ! ».
Plaignons, caressons
ce tigre en pure laine de mouton
sur lequel on s'essuie les pieds
sans qu'il ne puisse protester.

ALAIN SERRES

Les eaux du Gange

Au cœur des eaux du Gange
j'ai laissé s'en aller
ma petite lumière
sur un blanc nénuphar
une bougie sur l'eau
qui semble comme un phare
et porte mes espoirs
au bout de la nuit noire
sur les ailes d'un ange
au cœur des eaux du Gange

MICHEL PIQUEMAL

Mon pays thaï

Je cherche
un pays poète
petit pays de papier

Il porte un nom doux comme un astre
un prénom velouté

Il a l'éclat du jaune
celui du tournesol et celui de la soie
il rit dans la lumière
même la nuit

Pays du soleil debout
pays des mots
pays musique
mon pays

FRANÇOISE LISON-LEROY

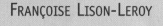

Petit-grain-de-riz

Ils m'appellent
Petit-grain-de-riz
J'ai la peau jaune ils disent
oui jaune comme la fleur
qui a bu tous les soleils de l'été

J'ai les yeux bridés ils disent
oui bridés comme ceux du chat
qui voit plus loin que la nuit

J'ai un chapeau pointu ils disent
oui pointu comme des mains jointes
pour faire bonjour merci et bienvenue

Je suis un enfant d'Asie ils disent
oui d'Asie ou de hasard
d'Asie ou pas
d'ici ou là
comme on est tous grands ou petits
un petit grain du grand bol de riz

JEAN-PIERRE SIMÉON

La maison des différences

Celui-ci rit quand il faut pleurer,
celui-là boite des deux pieds.
Celle-ci dit « pouch » au lieu de « pouce »,
celle-là aurait pu être rousse.
Cet autre enfant, là-bas,
nage autour de la Lune
et celui du pays qui n'existe pas
se nourrit de beignets d'anneaux de Saturne.

À ne voir que leurs différences
en Terre de France,
on oublierait qu'ils parlent tous *l'enfansol*,
la langue secrète des boussoles.

ALAIN SERRES

Alessandrina

Alessandrina
a un nom long comme ça,
mais juste un pouce
à la main droite.
Elle est née comme ça,
la belle Alessandrina,
avec quatre petits pois
à la place des autres doigts
mais quand elle rit,
d'un rire grand comme ça,
elle lève son pouce
et dit :
« La vie, c'est comme ça ! »

PEF

Il parle

Il parle avec ses doigts
il parle avec ses mains
il parle avec ses bras
et avec ses épaules
il parle de tout son corps
il parle de tout son cœur
il parle si clairement
que dans tous les pays
qui parlent mille langues
tous les enfants muets
savent bien le comprendre
et tous les enfants sourds
aux mots blessants
du monde

FRANÇOIS DAVID

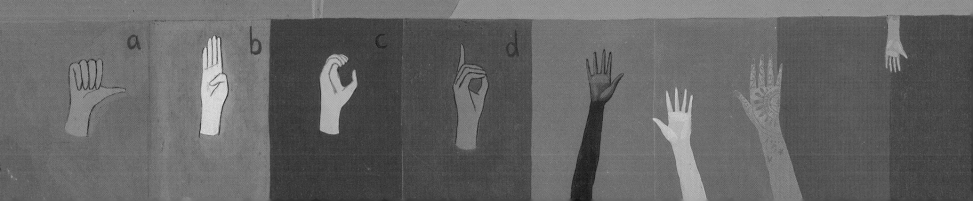

Les mains

Ce sont les mains brunes qui font le pain blond
Ce sont les mains noires qui font le mil clair
Ce sont les mains jaunes qui font le riz blanc
Ce sont les mains rouges qui font le safran d'or
Ce sont les mains vertes qui font les tomates rouges
et ce sont les mains de toutes les couleurs qui font
le monde rond

FRANCIS COMBES

Fraternité

Regarde-moi. J'ai deux yeux.
J'ai deux mains. Mon sang est rouge
Mes songes sont comme les tiens,
sombres ou clairs. Une rose
naît dans ma main. Une rose
naît dans ta main.
Il suffit que je dise « rose... ».
Il suffit que tu dises « rose... ».
Tu as deux yeux.
Tu as deux mains.
Ton sang est rouge
Quand nous marchons vers le soleil,
chacun de nous possède une ombre,
mais nous ne sommes pas des ombres,
nous ne sommes pas des fantômes,
nous sommes des mains et des cœurs,
nous sommes des pensées humaines.

PIERRE GAMARRA

Youssef

Il va cinq fois par jour
cracher son chewing-gum
dans la corbeille
Comment il fait ?

JEAN-HUGUES MALINEAU

Nacera

J'ai envie qu'on l'embête pas
je suis son garde du corps
Elle dit jamais quand c'est quelqu'un
qui a fait une bêtise
Je l'aime peut-être

JEAN-HUGUES MALINEAU

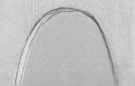

Partout

Je suis un enfant de partout
un enfant de Paris, de Cotonou,
un enfant de l'ombre des montagnes
des plis rouges d'un pagne.
Je suis un enfant des nids de moineaux,
de Mulhouse, de Baltimore,
des petits bateaux de la baie de Rio
et pire encore
je suis un enfant de quelque part
né de l'amour entre la chance
et le hasard.
Un enfant avec un nom,
un prénom,
mais un enfant qu'on appelle Terrien
parce que, sans moi,
cette planète n'est rien.

ALAIN SERRES

Watati balalou

Watati balalou
pati navou déla
Didon, didon,
en quoi tu causes, là ?
Japonais ? Sardino ?
Amazodoutuvien ?
J'appelle un mien cousin
mangeur de sable fin
qui parle gazouillis
au pays des enfants.
Mais ça ne s'apprend pas.
On l'a su, on l'oublie,
une fois devenu grand.

PEF

Table des poèmes

Ce livre est imprimé
sur du papier Condat mat Périgord,
issu de forêts gérées durablement,
correspondant aux normes suivantes :
ECF (Elemental Chlorine Free),
sans acide à longue durée de vie,
conforme aux exigences européennes
concernant la teneur en métaux lourds (98/638 CE),
recyclable et biodégradable.

Achevé d'imprimer en janvier 2009
sur les presses de l'imprimerie Clerc
à Saint-Amand-Montrond (18) - France

Dépôt légal : février 2008